Serie 41
97173

Canticuénticos en papel
El monstruo de la laguna

Texto: Ruth Hillar
Ilustraciones: Estrellita Caracol

Coordinación general: Sebastián Cúneo
Edición: Fabiana Nolla Portillo
Diseño gráfico: Estrellita Caracol
La tipografía utilizada para la composición del texto es Asap,
diseñada por Pablo Cosgaya para Omnibus-Type www.omnibus-type.com

"Cumbia del monstruo" es una canción
incluida en el CD *"Nada en su lugar"* de Canticuénticos.
Letra y música de Ruth Hillar.

Distribución: Gerbera Ediciones *www.gerberaediciones.com.ar / contacto@gerberaediciones.com*

ISBN 978-987-42-4925-8
Primera edición. Argentina, julio 2017.
Primera reimpresión. Argentina, abril 2018.
Segunda reimpresión. Argentina, agosto 2019.

Hillar, Ruth María
El monstruo de la laguna / Ruth María Hillar ; adaptado por Estrellita Caracol ;
coordinación general de Sebastián Cúneo ; ilustrado por Estrellita Caracol. -
1a ed. 2a reimpresión - Santa Fe : Gonzalo Adrián Carmelé, 2019.
32 p. : il. ; 23 x 19 cm. - (Canticuénticos en papel ; 3)

ISBN 978-987-42-4925-8

1. Libro para Niños. 2. Criaturas Fantásticas. I. Estrellita Caracol, adap. II.
Cuneo, Sebastián, coord. III. Estrellita Caracol, ilus. IV. Título.
CDD 808.899282

Esta edición de 5.000 ejemplares se imprimió en Gráfica Pinter,
Diógenes Taborda 48/50, Ciudad Autónoma de Buenos Aires, Argentina. Agosto 2019.
Queda hecho el depósito que previene la ley 11.723.

El monstruo de la laguna

AL MONSTRUO DE LA LAGUNA LE GUSTA BAILAR LA CUMBIA

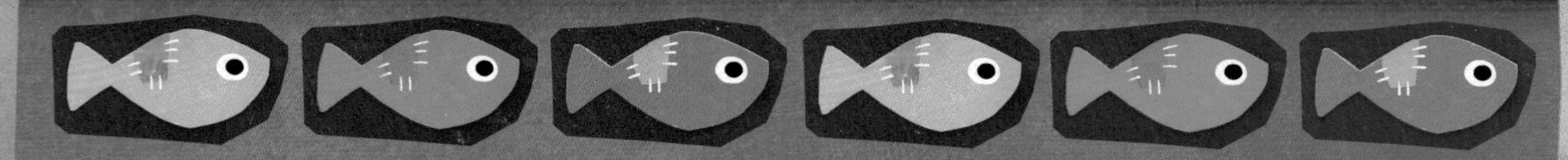

SE EMPIEZA A MOVER SEGURO, DE A POQUITO Y SIN APURO.

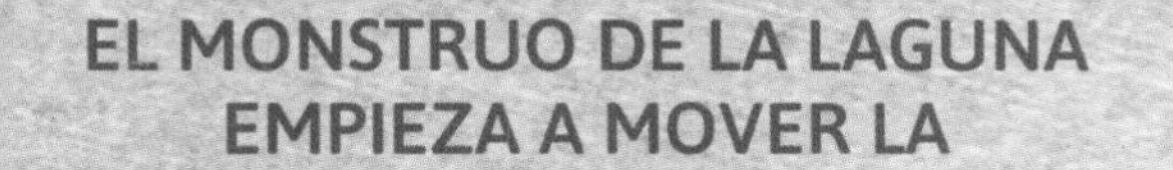

EL MONSTRUO DE LA LAGUNA
EMPIEZA A MOVER LA

PANZA

PARA UN LADO Y PARA EL OTRO,
PARECE UNA CALABAZA.

MUEVE LA PANZA...

¡PERO NO LE ALCANZA!

EL MONSTRUO DE LA LAGUNA
EMPIEZA A MOVER LAS

MANOS

PARA UN LADO Y PARA EL OTRO
COMO SI FUERAN GUSANOS.

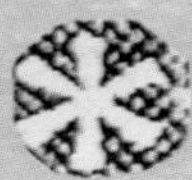

MUEVE LAS MANOS...

MUEVE LA PANZA...

¡PERO NO LE ALCANZA!

EL MONSTRUO DE LA LAGUNA
EMPIEZA A MOVER LOS

HOMBROS

PARA UN LADO Y PARA EL OTRO
PONIENDO CARA DE ASOMBRO.

COTIN ITALIANO PARA COLCHON
RAYAS, ANCHO 160 CMTS.; EL ME

MUEVE LOS HOMBROS...

MUEVE LAS MANOS...

MUEVE LA PANZA...

¡PERO NO LE ALCANZA!

EL MONSTRUO DE LA LAGUNA
EMPIEZA CON LA

CADE
RA

PARA UN LADO Y PARA EL OTRO,
PESADO SE BAMBOLEA.

MUEVE LA CADERA... MUEVE LOS HOMBROS... MUEVE LAS MANOS...

MUEVE LA PANZA...

¡PERO NO LE ALCANZA!

EL MONSTRUO DE LA LAGUNA
EMPIEZA A MOVER LOS

PIES

PARA UN LADO Y PARA EL OTRO
DEL DERECHO Y DEL REVÉS.

MUEVE LOS PIES...

MUEVE LA CADERA...

MUEVE LOS HOMBROS...

MUEVE LAS MANOS... MUEVE LA PANZA... **¡PERO NO LE ALCANZA!**

¡ESPERÁ ESTRELLITA!
¿QUÉ PASA?
¡NOSOTROS TAMBIÉN QUEREMOS DIBUJAR!
¡PERO USTEDES SON MÚSICOS!
AH, ¿Y POR ESO NO PODEMOS DIBUJAR?
BUENO, ESTÁ BIEN, LES VOY A DAR UNA OPORTUNIDAD... ¿A VER?

EL MONSTRUO
DE LA LAGUNA
SE PARA CON LA

CABEZA

CON LAS PATAS
PARA ARRIBA
¡MIRÁ QUE BROMA
TRAVIESA!

MUEVE LA CABEZA...

MUEVE LOS PIES...

MUEVE LA CADERA...

MUEVE LOS HOMBROS... MUEVE LAS MANOS... MUEVE LA PANZA...

¡HASTA QUE SE CANSA!

Nuestros sonidos cuentan y nuestras palabras cantan, por eso nos llamamos Canticuénticos. Somos músicos de Santa Fe, en la región litoral de Argentina. En el año 2009 comenzamos a escribir canciones sobre ritmos argentinos y latinoamericanos. A través de la música en vivo, el humor, la poesía y la emoción, invitamos a cantar, jugar y bailar al son de huaynos, chamarritas, chacareras, cumbias y chamamés. Canticuénticos somos: Ruth Hillar, Gonzalo Carmelé, Nahuel Ramayo, Daniela Ranallo, Sebastián Cúneo, Laura Ibáñez, y Daniel Bianchi.

www.canticuenticos.com.ar / canticuenticos@gmail.com

★ **Estrellita Caracol**

Mi nombre es Natalia Spadaro, y desde hace unos años también soy Estrellita Caracol, que es como firmo mis trabajos. Vivo en Buenos Aires, Argentina. Cuando era chica me encantaban las estrellas, los libros y los papeles, ¡igual que ahora! Estudié diseño gráfico en la Universidad de Buenos Aires y al mismo tiempo me fui acercando a la ilustración, especializándome en la técnica del collage. Desde entonces, mis papeles están en libros de varias editoriales de Argentina y otros países. Y como disfruto mucho de compartir lo que hago, me gusta organizar talleres y encuentros de collage e ilustración para chicos y grandes.

www.estrellitacaracol.com.ar / correo@estrellitacaracol.com.ar

Acá te dejamos el enlace para que veas el video de la Cumbia del Monstruo

¡Hasta la próxima!